Fantasía Sumisa

Erika Sanders

Serie

Dominación y sumisión erótica

Sinopsis

Respiré hondo y lentamente lo soplé, lamiéndome los labios secos.

¿Hacía solo una hora que tenía el control?

¿O al menos la opción de alejarse?

Lo escuché moverse por la habitación, el televisor volviéndose a encender ... dándome cuenta de que estaba esperando que me pusiera cómoda.

Cerré los ojos, no es que importara, ya que no podía ver de todos modos a través de la venda en los ojos ...

Fantasía sumisa es una historia de fuerte contenido erótico BDSM y, a su vez, también perteneciente a la colección Dominación Erótica, una serie de novelas de alto contenido BDSM romántico y erótico.

(Todos los personajes tienen 18 años o más)

Nota sobre la autora:

Erika Sanders es una escritora de renombre internacional, traducida a más de veinte idiomas, que firma sus escritos más eróticos, alejados de su prosa habitual, con su apellido de soltera.

Índice:

Sinopsis
Nota sobre la autora:
Índice:
FANTASÍA SUMISA ERIKA SANDERS
CAPÍTULO I
CAPÍTULO II
CAPÍTULO III
CAPÍTULO IV
FIN
ROOMIES (TABÚ ERÓTICO) ERIKA SANDERS
FIN

FANTASÍA SUMISA
ERIKA SANDERS

CAPÍTULO I

"Ahora sí que te has metido en un aprieto".

Resoplé suavemente.

Era un sonido muy poco femenino, pero por el momento, lo único en lo que podía pensar era en lo que sucedería después.

¿Realmente había leído bien entre líneas de todos nuestros correos electrónicos?

¿De los chats en línea?

¿De las llamadas telefónicas nocturnas?

Quizás debería haber sido más sutil.

Eso es lo que dicen todas las revistas, ¿verdad?

Los chicos necesitan que les dijera lo qué hacer.

"Relájate, Debbie".

El susurro contra mi oído me hizo saltar.

"Es fácil para ti decirlo, Harry".

"Shh. Ya vuelvo".

Respiré hondo y lentamente lo soplé, lamiéndome los labios secos.

¿Hacía solo una hora que tenía el control?

¿O al menos la opción de alejarse?

Lo escuché moverse por la habitación, el televisor volviéndose a encender ... dándome cuenta de que estaba esperando que me pusiera cómoda.

Cerré los ojos, no es que importara, ya que no podía ver de todos modos a través de la venda en los ojos, y pensé en esta misma noche más temprano ...

CAPÍTULO II

Alcé mi teléfono celular y exhalé.

Mi dedo se cernía sobre el botón ENVIAR, mis ojos pegados a las dos palabras en la pantalla: Estoy AQUÍ.

Respiré profundamente y sellé mi destino, rezando para que mis nervios se calmaran, para que ya no sintiera náuseas.

No había vuelta atrás ahora.

El sonido de la descarga de un inodoro ahogó el sonido de un teléfono cercano.

Un instante después, la puerta frente a mí se abrió y mis nervios se magnificaron.

"¿Vas a estar ahí parada toda la noche?" Él dijo tranquilo.

La voz profunda provenía de la puerta iluminada.

Harry

Ya no tenía que cerrar los ojos para imaginármelo.

Sus anchos hombros sobresalían un pie sobre mí, envueltos en una camisa abotonada con las mangas enrolladas hasta los codos.

Sus ojos de obsidiana miraban los míos con una mirada brillante.

Sus grandes manos agarrando el marco y la puerta mientras se inclinaba hacia el pasillo hacia mí.

Nuestro último y primer encuentro había sido en un baile temático de gángsters y cabareteras una semana antes.

Mi propio terreno, mis propios amigos, mi propia zona de confort.

Había sido fácil enamorarse de sus encantos, de la forma en que me abrazaba cuando bailábamos lentamente.

La forma en que me inclinó el sombrero de fieltro en el estacionamiento antes de besarme suavemente, sus dedos apenas tocando mi mejilla.

La forma en que me había susurrado al oído que mi decisión de vestir al estilo gángster lo había excitado.

Se me doblaron las rodillas cuando se presionó contra mi cadera, demostrando su excitación.

Me tomó toda mi fuerza que puede sacar de mí misma los siguientes siete días, especialmente en el trabajo.

Nuestros chats nocturnos por teléfono e Internet no ayudaron.

Entonces, ¿por qué estaba tan asustada?

Me estaba entregando al momento en que había estado fantaseando todo este tiempo ...

"¿Debbie?" Abrió la puerta y salió completamente al pasillo ahora, con las comisuras de la boca hacia abajo. "¿Estás bien?"

Retrocedí contra la pared, sujetando mi bolso de noche sobre mi hombro.

Es un error.

No debería haber venido.

¿Qué estaba pensando?

Espera, es que no estaba pensando.

Yo ...

Sus dedos rozaron mi mejilla mientras levantaba mi barbilla.

"Está bien. No tengas miedo".

"¿Quién yo?" Mi voz sonaba temblorosa y nada confiada, aunque sonreí.

Su ceño se profundizó.

La preocupación y la decepción se mostraron en sus ojos oscuros.

"¿No quieres hacer esto?"

"Sí. Estaré bien".

Me aparté de la pared, marchando hacia la guarida del león.

La puerta se cerró ruidosamente detrás de mí, haciéndome saltar mientras observaba los alrededores.

Era una habitación estándar de hotel con un baño con jacuzzi a la izquierda, la barra para la ropa en una alcoba a la derecha, y una suite abierta por delante con dos lámparas y un reloj digital en pequeñas mesas que flanquean la cama solitaria.

Un sofá, una mesa, dos sillas y una cómoda baja con un televisor atornillado encima remataban los muebles.

Nada sofisticado.

Pero entonces, no era una ocasión especial.

Bueno, no una para el que alquilarías una habitación de hotel de lujo, como para una luna de miel.

Un suave resoplido escapó por mi último pensamiento.

No, nada importante como eso.

Hubo un tirón en mi brazo y parpadeé.

Mis ojos se levantaron para encontrarse con los suyos, y su suave sonrisa alivió un poco la tensión.

"Déjame tomar tu bolso ".

Solté mi agarre de la correa, mirándolo colocar el bolso de lona en la cómoda debajo de la pantalla de TV encendida pero silenciosa.

Presionó un botón en el mando a distancia y la pantalla se puso negra.

Ahora realmente solo éramos nosotros dos.

Los pequeños sonidos ahora parecían amplificados.

El suave silbido de la unidad de aire acondicionado.

El zumbido de la luz sobre nuestras cabezas.

El ruido de hielo en la máquina justo afuera de la habitación.

El gorgoteo de agua en el jacuzzi de la esquina junto a la cama.

Bueno, tal vez esta no sea una habitación de hotel tan estándar después de todo.

Mi corazón latía en mis oídos.

Traté de mantener mi respiración uniforme, traté de concentrarme en toda la situación.

En lo que estaba haciendo.

En porqué lo estaba haciendo.

Un suave gemido se me escapó cuando pensé en el posible resultado final, y algo se apretó en mis entrañas.

"¿Debbie? Siéntate".

Tomó mi mano y me guió a la cama.

Mi piel hormigueó por el contacto.

Mis rodillas se doblaron automáticamente, y luego estaba descansando en el borde.

Mi baja estatura me dificultaba sentarme y aún poder tocar la alfombra.

"Te ves hermosa esta noche."

Parpadeé de nuevo e incliné mi cabeza hacia él.

Nadie me había llamado nunca hermosa, salvo mis padres.

Sus ojos se centraron en el vestido que había elegido para el baile de esta noche, una falda de seda roja con estampado de rosas y un corpiño negro sin mangas que proporcionaba un amplio escote.

Era uno de mis favoritos, principalmente porque me sentía hermosa, a pesar de mi cuerpo de pequeño tamaño.

Una sonrisa atrajo mis labios, contenta de que a él también le hubiera gustado.

"Lo-lo siento. Solo estoy un poco ..."

"Está bien. Lo entiendo". Se sentó a mi lado, todavía sosteniendo mi mano.

Durante varios minutos, el único ruido que hicimos fue nuestra respiración, la suya normal, la mía se tambaleaba.

¿Cómo puede estar tan tranquilo?

Mantuve mi mirada en mi regazo, tragando pesadamente ya que cuando vagaba hacia su regazo ... veía el ligero bulto allí.

Me apretaba la mano de vez en cuando.

Finalmente, cuando me sentí tranquila, levanté los ojos hacia su rostro.

Él me estaba mirando.

Las comisuras de su boca estaban ahora dobladas hacia arriba.

"Voy a besarte, ¿de acuerdo?"

Incliné la barbilla en respuesta, y luego su mano ahuecó mi mandíbula, acercándome.

Mis ojos se cerraron cuando sus cálidos labios tocaron los míos.

Se tocaron ligeramente al principio y luego me presionaron más fuerte.

Apreté su mano, aspirando aire, pequeños chillidos de sorpresa llegaron a mis oídos.

Su mano se deslizó hacia la parte posterior de mi cabeza, sus dedos enterrados en los mechones de mi cabello.

Cuando su lengua dibujó mi boca, me estremecí.

Cuando me mordió el labio inferior, jadeé.

Y cuando su lengua se deslizó dentro, sacudiendo mi lengua, gemí.

Harry continuó apretando mi boca con la suya hasta que nuestras lenguas bailaron, saboreándose, y mis gemidos se hicieron más frecuentes.

Sacó su mano de la mía y soltó el clip que sujetaba mis ondulaciones castañas.

Las suaves olas cayeron en cascada sobre mis hombros, susurrando contra mis orejas y mejillas antes de que las apartara para poder sostener mi cabeza con más firmeza.

Mi mano encontró su muslo y lo apretó, provocando un gemido de él.

Nuestros cuerpos se volvieron uno contra el otro, los nervios se mitigaron mientras él me ayudaba a deslizarme sobre la colcha.

Cuando me recostó contra las almohadas, suspiré y la anticipación reemplazó la ansiedad en mis músculos tensos.

Sus dedos acariciaron mis mejillas y mi frente y cuello, girando a través de mis trenzas mientras movía su boca contra la mía.

Era gentil pero firme.

En control, pero sin prisa tampoco.

Mis dedos se levantaron para trazar los contornos de su cuello, a través del ligero rastrojo en su mandíbula, hasta su cabello ondulado, sosteniendo su cabeza.

Cuando sus dedos se deslizaron hacia mi hombro, sobre la correa ancha del corpiño de mi vestido, y rozaron mi brazo desnudo, contuve el aliento en mi boca.

Incluso a través del vestido y el sujetador, podía sentir el calor de su toque.

Ansiaba que él tomara mi pecho, para aliviar un poco la presión que había estado sintiendo desde que nos conocimos.

Estaba tan cerca, pero parecía evitar a propósito esa área.

"Sabes tan bien." Su boca cubrió la mía una vez más antes de moverse a mi barbilla, mandíbula y detrás de la oreja antes de acomodarse en la curva de mi cuello.

Su nariz me acariciaba, con su lengua lamiendo mi carne.

Respiré hondo y solté el aire lentamente con un gemido.

"Hueles increíble".

Gimoteé, mi piel hormigueó cuando él la devastó.

"Por favor, no pares. Mmm".

"No tengo intención de hacerlo". Su voz sonó apagada mientras chupaba suavemente, mordisqueaba y luego lamía con los agudos dolores resultantes.

Agarré sus brazos, anclándome a él.

Su cálido cuerpo presionaba contra mi costado, encendiendo chispas debajo de mi piel.

Quería ponerlo encima de mí, pero simplemente no tenía la energía.

O las agallas para tomar la iniciativa.

Su boca aterrizó besos de mariposa sobre mi hombro y hasta mi garganta.

Cuando se retiró, abrí mis ojos.

Sus ojos estaban fijos, pero no en mi cara.

Seguí su camino, y me quedé sin aliento cuando vi el objeto de su concentración: el rápido ascenso y caída de mis senos empujando contra los límites del escote del vestido.

Mi mirada volvió a su rostro justo a tiempo para verlo lamer sus labios.

"Si quieres que pare, ahora sería el momento ..."

"No, no, no". Apreté los ojos y un escalofrío me recorrió al pensar que todo podría terminar tan rápido.

Una suave risa fue su única respuesta, y luego sus labios rozaron mi garganta nuevamente.

Lenta y metódicamente, cubrieron cada centímetro de piel.

A veces, su lengua salía disparada, haciéndome temblar.

Se me cortó la respiración varias veces mientras se movía más abajo.

Cuando sus labios acariciaron la hinchazón de mi pecho, agarré mi falda, mi cuerpo arqueándose hacia él por su propia voluntad.

La parte plana de su lengua acarició la elevación por encima del borde de mi sujetador de satén negro, y la sensación de calor húmedo me quemó.

Se movió, puso un brazo sobre mi abdomen y giró la cabeza.

Mi nariz enterrada en su cabello.

Olía un poco a loción fresca de después del lavado, y exhalé con un suspiro.

Mi concentración cambió cuando sentí su dedo arrastrarse por la curva de mi escote, sumergiéndose en el espacio entre mis senos antes de deslizarse bajo el borde del sujetador.

Su lengua lo siguió, y un gemido se elevó desde el fondo de mi garganta.

Mis pezones estaban tan duros que me dolían.

Si él solo ...

Mi cuerpo se retorcía, instándolo a ir un poco más abajo, hacia donde yo lo quería.

Donde lo necesitaba.

Cuando moví mi mano, literalmente tratando de tomar el asunto en mis propias manos para aliviarme el dolor, él se movió nuevamente y agarró mi brazo, levantándolo por encima de mi cabeza.

Se levantó lo suficiente como para liberar mi brazo izquierdo debajo de él y lo unió con mi brazo derecho.

Sosteniendo ambas muñecas con su mano derecha, bajó su boca hacia mi pecho nuevamente y continuó adorando mi piel ahora ardiente.

"Por favor ... oh, por favor, Harry ..." murmuré más allá de los gemidos que él me sacaba.

"¿Qué quieres, Deb?" Su aliento traspasó la barrera del sujetador y me hizo que doliera aún más. "Dime que quieres."

"Oh ..." Mi mente estaba borrosa, y de repente me sentí avergonzada de nuevo.

¿Por qué no puede simplemente entender lo que le estoy pidiendo?

"¿Esto podría ser?" Sus dedos rozaron la parte inferior de mi pecho a través del vestido y gemí. "Sí, creo que eso es lo que quieres".

Bromeó de nuevo, y finalmente su mano ahuecó mi pecho, apretando suavemente.

Su pulgar rozó el pezón.

Incluso a través del material del sostén, eso envió ondas de choque a través de todo mi cuerpo.

"¡Oh, Dios!"

Mis ojos se abrieron de golpe y contuve el aliento, mirando al techo, pero sin ver nada, deleitándome con el hecho de que finalmente me había tocado donde lo necesitaba.

Jadeé cuando él movió su mano hacia arriba y deslizó un dedo debajo del borde de mi sostén y lo barrió una y otra vez directamente sobre mi pezón.

El calor se precipitó y se acumuló entre mis piernas.

El mundo se calmó.

Sus labios rozaron mi oreja, su aliento ardiente y aun haciéndome temblar.

Se me cortó la respiración cuando su mano se deslizó más dentro de mi sostén para ahuecarme por completo.

Sentí su piel un poco áspera mientras amasaba mi pecho, rodando mi pezón entre su pulgar y los demás dedos.

Me volví hacia él, mi boca buscando la suya.

Él gimió, presionó sus labios contra los míos y me empujó sobre mi espalda nuevamente.

Me moví debajo de él, haciendo eco de su gemido cuando su lengua barrió mi boca y jugó con mi lengua.

Apretó mi pecho una vez más y luego retiró su mano.

Soltó mi muñeca izquierda, deslizó su mano sobre mi hombro y tiró tanto de la correa de mi vestido como de mi sujetador por mi brazo.

El aire frío rozó mi pecho ahora desnudo.

Mi pezón se tensó dolorosamente.

Estaba sin aliento, temblando, cuando sus dedos se deslizaron por mi brazo y lentamente lo volvieron a levantar por encima de mi cabeza.

Cuando lo sentí atar algo alrededor de mi muñeca, me sacudí automáticamente.

"¿Harry?"

"¿Sí, Debbie?" Bajó besándome por el brazo y sobre mi pecho, succionando mi pezón en su boca.

"¡Oh!" Olvidé lo que iba a preguntarle, mis nervios se borraron con esa simple acción, y me arqueé contra él.

Él se rió entre dientes, burlándose de mi pezón con su lengua mientras se subía sobre mí y soltaba mi otra muñeca.

Cuando descubrió mi seno derecho, movió su boca hacia ese lado mientras volvía a poner esa mano sobre mi cabeza.

Luché por tragar, viéndolo atarme la muñeca derecha.

"Eres tan sexy". Sus ojos estaban brillantes mientras se sentaba a mi lado, mirando mi pecho desnudo, mi vestido y sujetador justo debajo de mi busto.

Tiré suavemente de mis muñecas y me tragué la tensión.

Había suficiente holgura para que mis brazos se relajaran contra las almohadas, pero no lo suficiente como para poder desatarme si así lo deseaba.

"No pensé que lo recordarías".

¿Qué le había pasado a mi voz?

Sonaba muy ronca.

"Oh, lo recuerdo. Lo recuerdo todo".

Esa sonrisa perezosa, ese tono profundo, esa repentina mirada oscura en sus ojos hizo que mi corazón saltara con un latido.

Mi mente discurría para recordar todo lo que habíamos discutido ... y me preguntaba si había olvidado mencionar algo.

Pero perdí la concentración cuando me alcanzó por debajo de la espalda, soltó los broches de mi sujetador y deslizó la cremallera de mi vestido.

Mantuve mis ojos en él, viendo aparente fascinación en sus ojos mientras él sacudía mi vestido, revelando más y más de mi cuerpo desnudo.

Contuvo el aliento cuando reveló mis bragas negras de satén.

Me acerqué a él y él se detuvo, agarrando mis caderas y pasando sus pulgares hacia adelante y hacia atrás sobre mi piel cubierta.

Reanudando mi desnudez, el satén de mi falda rozó mis piernas desnudas, y luego arrojó el vestido a un lado.

Sus dedos se deslizaron sobre mis pantorrillas, hasta mis rodillas, y luego hacia abajo nuevamente para desabrocharme y quitarme los zapatos de tacón.

Tuve una repentina oleada de coraje.

Lentamente pasé la punta de mi lengua a lo largo de mi labio superior y moví mis caderas.

"¿Entonces te gusta lo que ves?"

Sus ojos se alzaron hacia los míos, y juro que vi un destello de fuego en ellos.

No habló, pero deslizó sus dedos debajo del borde de mis bragas y lentamente las bajó.

Tragué saliva, consciente de que realmente me preocupaba que le gustara lo que estaba viendo.

El aire frío rozó contra mí, y no pude evitar presionar mis muslos juntos, gimiendo y retorciéndome mientras él solo me miraba.

Un par de veces, levantó la mano como si fuera a tocarme allí, pero su mano volvió a su regazo.

Desearía poder leer su mente.

Metió la mano en su bolsillo trasero y luego se inclinó hacia mí, rozando sus labios contra los míos.

"¿Estás bien?"

Tomé un par de respiraciones profundas y luego sonreí.

"Si estoy bien."

Sus ojos se encontraron con los míos, y él me devolvió la sonrisa.

"Mentirosa."

Sus manos se movieron sobre mi cara.

Un paño suave cubrió mis ojos, bloqueando la luz, y aseguró la banda elástica sobre mi cabeza.

Se me aceleró el aliento.

No pude evitarlo.

Él estaba en lo correcto.

A una parte de mí le preocupaba haberme metido demasiado profundo.

Yo había querido esto.

Pero una vez que mi control desapareció, mis nervios volvieron y tuve miedo.

No necesariamente de Harry, sino de lo que haría ... o no haría.

Parecía haber hecho esto antes.

¿Qué pasaría si no estoy a la altura de sus expectativas?

CAPÍTULO III

Lo que nos trajo de vuelta a mí acostada en la cama, completamente desnuda, con los ojos vendados y las manos atadas a la cabecera.

Harry estaba sentado o parado en otra parte de la habitación escuchando repeticiones de Ley y Orden.

Dudaba mucho que estuviera viendo la televisión.

Realmente podía sentir sus ojos en mí.

Y no era esa sensación incómoda cuando uno sabe que alguien lo está mirando y se pregunta por qué y luego mira nerviosamente a su alrededor tratando de localizar al culpable.

En cambio, sentía que el calor se extendía por mí, contenta de que me encontrara digna de mirar.

Pasaron varios minutos, la serie se fue a un comercial, y en el fondo, escuché el claro clic de la puerta de la habitación del hotel abriéndose y cerrándose.

"¿Harry?"

No hubo respuesta.

Traté de no entrar en pánico, pero no pude evitar tirar de mis restricciones.

No escuché a nadie más en la habitación, lo cual era algo bueno.

Pero aun así...

Mis pensamientos me estaban superando cuando escuché que la puerta se abría de nuevo.

Contuve el aliento, oí el tintineo de hielo en un vaso y el silbido de una lata de refresco que se abría.

El calor de otro cuerpo rozó mi costado derecho, y la cama se hundió por el peso de alguien sentado.

Jadeé cuando una fría palma rozó mi pezón derecho.

"¿Me extrañaste?"

Solté un suspiro entrecortado, aliviado al escuchar la voz de Harry.

"¡Dime algo la próxima vez que te vayas!"

"Lo siento. No quise asustarte".

Sus labios rozaron los míos.

Olí la cola en su aliento.

Nuestras lenguas flirtearon por un momento, y luego se recostó.

"¿Deberíamos empezar?"

Sonreí, relajándome contra las almohadas.

Lo escuché dejar su vaso, y luego comenzó a hurgar debajo de mi cabeza, bajando el edredón y las mantas.

Se me erizó la piel, poniéndoseme de gallina, cuando sus manos rozaron contra mi cuerpo.

Ayudé tanto como pude en mi posición levantando mi cuerpo.

Cuando estaba ya acostada solo sobre las sábanas frías, el peso de la cama cambió nuevamente y la televisión se quedó en silencio.

"No puedes ver nada, ¿verdad?"

Incliné mi cabeza hacia delante, hacia ambos lados, y luego me relajé nuevamente.

"No, nada."

"Entonces disfruta. Y ni una palabra".

Asentí y flexioné mis muñecas y dedos.

Sabía que me estaba mirando de nuevo, y el calor se acumuló entre mis piernas.

Moví mis caderas, moví los dedos de los pies y luego giré los tobillos.

Cualquier cosa con tal de mantenerme distraída.

Mis labios se secaron de repente y me los lamí, tragando y encontrando mi boca seca también.

Me obligué a respirar normalmente, escuchando cualquier indicio de lo que podría estar haciendo.

El aire acondicionado se apagó, y luego solo escuché su respiración uniforme.

Pero, aun así, no me tocó.

Después de varios minutos más, mis músculos se relajaron y mis piernas se abrieron ligeramente.

Se le cortó la respiración y sonreí.

Me preguntaba si se estaba masturbando, pero seguramente habría escuchado alguna indicación de eso.

Iba a preguntarle si todo estaba bien cuando lo sentí.

Fue un toque muy ligero, directamente sobre mis dos pezones.

Gemí cuando se endurecieron.

La sensación se movió hacia abajo, siguiendo la curva debajo de mis senos y hacia los lados.

Definitivamente era una pluma, la plenitud rozando mi piel como las yemas de los dedos más suaves.

Se movió sobre mi abdomen, delineando mis costillas, rodeando mi ombligo.

Mis caderas se sacudieron cuando la punta rozó la zona de la ingle, donde mi pierna se unía a mi cuerpo.

Me estremecí, arrullando.

Repitió el movimiento, moviéndose sobre mi cadera y lentamente hacia atrás nuevamente, siguiendo la línea de mi pelvis.

Me estaba retorciendo cuando pasó la parte plana de la pluma por la parte superior de mi muslo izquierdo.

Se me volvió a erizar la piel de gallina y abrí más las piernas, usando mis pies para ganar fuerza contra la cama para empujar hacia arriba.

Harry se rio entre dientes.

"Paciencia, Deb".

Pero él deslizó la pluma a lo largo del interior de mi muslo, bajando debajo de mi rodilla y pantorrilla.

Me reí cuando me hizo cosquillas en la parte inferior de mi pie.

Se cambió para trabajar en mi lado derecho.

Podía sentir el calor de su cuerpo inclinándose sobre mis piernas.

La pluma trazó el mismo patrón de la otra pierna, pero hacia atrás.

Desde mi pie hasta mi pantorrilla, debajo de mi rodilla y sobre mi muslo, a través de mi pelvis y mis costillas.

Arqueé la espalda y gemí suavemente cuando mis pezones rozaron la manga enrollada de su camisa.

"¡Oye, no hagas trampa!"

Sonreí y lamí mis labios, pero me comporté y me recosté.

Se apartó y sentí que se movía sobre mi cabeza.

La pluma trazó la parte inferior de mi brazo derecho hasta mi muñeca y rozó mis dedos.

Dibujó círculos en mi palma abierta antes de volver a bajar por mi brazo.

La punta barrió mi hombro, bajó por mi clavícula y cruzó mi garganta.

Incliné mi cabeza hacia la izquierda contra la almohada y suspiré cuando trazó diseños en mi cuello y me provocó la oreja.

Cuando deslizó la pluma debajo de mi barbilla, incliné mi cabeza hacia el otro lado y suspiré nuevamente mientras repetía los mismos movimientos en todo mi cuello, sobre mi hombro y en mi brazo y mano izquierdos.

Moví mis dedos, la pluma deslizándose entre ellos.

Se puso de pie, dejando que mi cuerpo suplicara.

Mis dedos se apretaron, haciéndose eco de las constricciones, profundamente dentro de mí.

Lamí mis labios nuevamente, sintiendo que mi corazón latía con fuerza.

Afortunadamente, no se fue mucho tiempo.

Una nueva sensación, supongo que un pañuelo de seda, rozó las yemas de mis dedos y bajó por los dos brazos al mismo tiempo.

Me cubrió la cara, deslizándose lentamente por la nariz y la boca para cubrirme el cuello.

Cuando llegó a mis senos, me arqueé, gimiendo.

Lo frotó de un lado a otro sobre mis pezones doloridos.

Luego el pañuelo acarició mi abdomen y mis caderas, rozando brevemente mi pelvis en su camino hacia mis muslos y pies.

Repitió el proceso a la inversa, cuidando de detenerse en las áreas en la que hacía gemidos de placer.

Y luego el pañuelo se fue tan rápido como apareció.

Escuché a Harry hurgando en una bolsa de plástico, y luego estaba de nuevo acostado en la cama a mi lado.

Hubo un chasquido que sonó como una tapa de plástico.

Jadeé cuando algo frío cubrió mi seno izquierdo.

Su lengua lamió mi pezón antes de chuparlo en su boca.

"¡Ohh!" Me arqueé hacia él, y él obedeció arrastrando su lengua por todo mi pecho, su mano ahuecada y apretándola.

Cuando aparentemente lamió mi seno izquierdo, se movió para acostarse sobre mi lado derecho y repetir el proceso.

Podía sentir el calor palpitar dentro de mí, rogando que me tocaran, y lloriqueé.

"Lo sé, Deb. Lo sé". Apretó mi pecho derecho y extendió la mano para besarme, sumergiendo su lengua en mi boca. "Mmm".

Probé chocolate y gemí con él.

Me besó en la barbilla y el cuello, acariciando mi hombro.

Una corriente fría de chocolate cayó sobre mis labios, y lamí hambrientamente.

Su dedo presionó entre mis labios, y lo chupé profundamente en mi boca, limpiándolo también de chocolate.

Entonces la frialdad me recorrió la barbilla y la garganta.

Continuó a través del escote entre mis senos y rodeó mi ombligo.

Le siguió lentamente su lengua y sus labios, haciéndome temblar de excitación.

Los colchones chirriaron cuando él se alejó, y luego escuché agua corriendo en el baño.

Regresó un minuto después, pasando lentamente una toallita tibia sobre mi cuello, mis senos y mi estómago.

El cambio de temperatura me hizo jadear y mi cuerpo se onduló.

Se recostó sobre mi lado izquierdo nuevamente, su mano extendida sobre mi abdomen.

Me masajeó por un momento, su boca cubrió mi pezón izquierdo, mordisqueando y chupando suavemente.

Intenté agacharme para pasarle los dedos por el pelo, pero mis manos no lo pudieron alcanzar, recordándome que estaba contenida.

Me aferré al aire en su lugar, tratando de presionar mi costado contra él.

Su mano se deslizó hacia arriba y ahuecó mi pecho.

Lloré por el repentino mordisco de un cubito de hielo frotándose contra mi pezón.

Me aparté, pero no había a dónde ir.

El agua fría goteaba por mi pecho, el hielo lentamente rodeaba mi pezón.

Me dolía, pero el dolor repentino se volvió entumecedoramente agradable y sentí que el calor aumentaba una vez más entre mis piernas.

Gimoteé, tratando de alejarme ahora, apretando los puños.

"Shh. Shh".

Su mano libre volvió a presionar contra mi estómago, sosteniéndome contra la cama mientras chupaba mi pezón entumecido, lamiendo el agua.

Se apartó, y una toalla tibia cubrió mi tembloroso pecho.

Debería haber estado lista para que él se moviera a mi seno derecho, pero el cubo de hielo helado en él todavía me sorprendió.

Grité, y una vez más, estaba gimiendo y alejándome, independientemente de sus intentos de calmarme.

El dolor agudo regresó, apretando mi pezón, adormeciendo la piel a su alrededor.

Cuando el hielo se derritió, su boca lamió y succionó el agua, y luego la toalla me calentó el pecho.

Mi cabeza estaba borrosa ahora.

No podía creer lo excitada que estaba, aún más desde el tratamiento con hielo.

Me sentí un poco culpable de haber disfrutado el breve dolor.

El placer resultante era asombroso.

Me alegré de que Harry me hubiera atado las muñecas.

Estaba segura de que habría tratado de detenerlo si hubiera tenido la posibilidad.

¿Cuánto tiempo llevamos en esto, de todos modos?

Mis pensamientos volvieron al presente cuando el hielo se deslizó entre mis senos.

Grité y me arqueé.

Harry atrapó mis costados en sus manos, sosteniéndome contra él mientras arrastraba el hielo hacia arriba y hacia abajo por el centro de mi cuerpo con su boca, mis pechos rozando sus mejillas.

Sentí el agua acumularse en mi ombligo, derramándose sobre mis caderas.

No pensé que mi cuerpo pudiera dejar de temblar.

Cuando el hielo desapareció, su lengua lo reemplazó, lamiendo mi piel que ahora chisporroteaba bajo la capa fría del hielo y el agua.

Sus manos se movieron para ahuecar mis pechos, apretándolos mientras acariciaba el escote en el medio.

Me tomó un momento darme cuenta de que estaba acostado entre mis piernas.

Al instante levanté las rodillas hacia sus caderas.

Se sentía tan bien acurrucado contra mí donde más necesitaba ser tocada.

Suspiré, por el calor de su duro bulto evidente a través de sus pantalones.

Su risa profunda vibró a través de mi pecho.

"Está bien. Capto la idea".

Me soltó y se arrastró lejos de mis piernas.

Me quejé ante la repentina ausencia, pero su mano en mi cadera calmó mi retorcido cuerpo.

Sus dedos se abrieron paso entre mis rizos y mi piel caliente.

Suspiré.

Mis piernas se abrieron de nuevo.

Uno de sus dedos se presionó contra mi resbaladiza raja, tocando brevemente mi clítoris.

Arrullé, abriendo más las piernas.

Lentamente acarició su palma sobre mis labios exteriores.

De vez en cuando, mojaba su dedo, arrastrándolo de un extremo al otro, haciéndome jadear.

Su mano se detuvo, ahuecando mi montículo, y dos dedos presionaron, extendiendo los labios hinchados.

Contuve el aliento cuando su pulgar rodeó mi clítoris.

Y luego un dedo se deslizó más abajo.

Él jugó con eso, trazando el borde de mi deseoso agujero antes de moverse para rozar las paredes de mis labios internos.

Mis caderas se sacudieron, tratando de obligarlo a bajar y a dentro de mí.

Su mano libre presionó mis caderas hacia la cama, y luego estaba acariciando completamente mi coño.

El talón de su mano descansaba contra mi hueso pélvico mientras sus primeros tres dedos se deslizaban hacia abajo, bajando por el valle, y acurrucándose para rozar mi clítoris.

Una y otra vez.

Fue una sensación exquisita, finalmente hacer que me tocara, aliviando un poco la presión que sentía.

Mis manos se apretaron, mi cuerpo arqueándose, luchando por liberarse.

Gruñí, tirando mi cabeza hacia atrás sobre la almohada cuando empujó dos dedos gruesos dentro de mí y luego me chupó el pezón entre los dientes.

Su mano se aceleró, presionando con fuerza y profundidad.

La tensión en mi vientre aumentó, y apreté mis muslos alrededor de su mano, gritando.

Su mano se detuvo, pero sus dedos se siguieron moviendo, aún enterrados entre mis piernas.

Me chupó el pecho mientras yo cabalgaba hacia mi primer clímax.

Cuando recuperé el aliento después de correrme, él se alejó.

Lo escuché buscar en la bolsa nuevamente, y luego estaba acostado entre mis piernas, extendiendo mis muslos.

Mi respiración se aceleró nuevamente cuando sentí que extendía algo cremoso y frío sobre mi coño.

Me estremecí y chupé mi labio inferior, incapaz de evitar que mis caderas se arquearan hacia él.

Sus dedos rozaron el interior de mis muslos, y luego presionó con un dedo, deslizándolo en mi coño de arriba a abajo.

Tragué saliva y respiré hondo solo para que deslizara su dedo en mi boca.

Mis labios se cerraron alrededor de su dedo.

Gemí al sabor de crema batida con un toque de mis propios jugos sexuales.

Mientras chupaba su dedo, él lo acariciaba dentro y fuera, imitando lo que ya había hecho antes abajo.

No era difícil pensar en él haciendo eso con algo más que sus dedos.

Solo pensar en el hecho de que él había cubierto mi coño con crema batida, y muy probablemente adivinar el porqué, según la experiencia reciente con el chocolate, me hizo jadear.

Ya había jugado conmigo más veces de las que podía contar.

Y aunque ya había tenido muchas experiencias nuevas esta noche, nunca imaginé a un chico lamiéndome allí abajo.

Sentí que se sentaba en la cama, sin tocarme.

Él gruñó, largo y bajo.

Era el sonido más sexy que jamás había escuchado, y no pude evitar repetirlo.

La capa inferior de la crema batida comenzaba a derretirse y goteaba alrededor de mi clítoris.

Me moví, gimiendo suavemente cuando él presionó más crema batida entre mis labios.

Me había puesto crema de afeitar allí antes cuando intenté afeitarme el coño, y la sensación ahora era igual de erótica, aplastando y acariciando mi piel sensible.

"Nos estamos poniendo un poco luchadores, ¿no?"

Hice un sonido ininteligible de impaciencia, y él se echó a reír.

Me encantó su risa tanto como su gruñido sexy.

Luché por tragar, amando lo que me estaba haciendo mental y físicamente, a pesar de mi frustración intermitente.

Harry pasó sus dedos sobre mi pecho izquierdo, a lo largo de la curva pesada debajo, sobre el suave oleaje en la parte superior, delineando la areola.

Él ahuecó y masajeó mi pecho.

Su pulgar e índice me pellizcaron el pezón.

Me mordí el labio para evitar gritar.

Frotó suavemente la protuberancia dura de un lado a otro y luego aplastó su palma contra ella, aliviando el dolor agudo.

Su mano se deslizó por el escote en el medio y rozó mi seno derecho.

Sus dedos volvieron a tocarme, electrificando mi piel, enviando fuego nuevo entre mis piernas.

Cuando me pellizcó el pezón, rodé hacia él, deseando que volviera a poner la boca sobre él.

"Muy sensible."

Su aliento rozó mi mejilla, su lengua recorrió mi mandíbula, y luego estaba haciendo realidad mi deseo.

Sus labios se cerraron sobre mi pezón y succionaron suavemente el dolor agudo que había creado.

Me balanceé de un lado a otro, gimiendo.

Sentí la crema batida pegada a mis muslos ahora, y me pregunté si lo había olvidado.

No quería que dejara de lamerme el pecho, pero de repente lo quería abajo.

Quería saber qué se siente tener su lengua burlándose de mí allí, tal como lo estaba haciendo con mi pezón.

Lo que se sentiría al tener la punta de su lengua presionando dentro de mí, sus dientes mordiendo mi piel resbaladiza.

Él pasó la parte plana de su lengua sobre mi pezón nuevamente y luego se deslizó por mi cuerpo, besando y mordisqueando y lamiendo cada centímetro de mi piel en el camino.

No tardando, estaba recostado entre mis piernas.

Besó mis caderas y luego arrastró su lengua por el cruce entre mis piernas y la pelvis.

Añadió una nueva capa de crema batida, y luego sus brazos se envolvieron debajo de mis muslos y los separó.

Gemí, mi cuerpo se convulsionó ligeramente.

Sentí su aliento caliente contra mis suaves rizos.

Lloré cuando su lengua salió y tocó mi clítoris.

Abrí más las piernas y él levantó mi coño desnudo más cerca de su boca.

Su lengua me lamió otra vez, y yo gemí de alivio.

Sus dedos masajearon mis muslos mientras lamía más profundamente a lo largo de mi coño.

Escuché el suave sonido de su lengua lamiendo la mezcla de mi humedad y la cobertura de crema extendida.

Su lengua estaba en todas partes, sin perder ninguna grieta.

Fue un proceso lento y tortuoso, y recé para que no se detuviera pronto.

Me dejé llevar, mis caderas se sacudieron debajo de su boca.

Cuando me chupó el clítoris, volví a gritar.

Cuando presionó la punta de su lengua contra mí, gemí.

No podía tener suficiente de él.

Y quería tocarlo más que nunca.

Maldije mis restricciones ... y aun así elevaron el nivel de excitación al mismo tiempo.

Nunca había tenido tanta variedad de sentimientos corriendo a través de mí de una vez.

Me vine por segunda vez cuando su dedo se deslizó dentro de mí otra vez.

Me acarició a través de mi orgasmo, su boca aún se aferraba a mi clítoris, su aliento caliente se mezclaba con mi propio calor y humedad.

Estaba bajando de mi clímax cuando sentí el cubo de hielo y grité.

Lo había empujado dentro de mí, y el agua fría corría entre mis nalgas.

Sus dedos presionaron, sosteniendo el hielo en su lugar, dejando que mi calor lo derritiera.

Sentí mis músculos apretarse alrededor de sus dedos, y lentamente los acarició dentro y fuera al mismo tiempo que mis gritos.

Otro cubo de hielo se unió a la escena, esta vez contra mi clítoris.

Caí en otro orgasmo, mi cabeza rodando de un lado a otro entre mis brazos levantados, sintiendo el hielo y sus dedos acariciándome.

Su boca volvió a lamer mi coño mientras yo me retorcía debajo de él.

De alguna manera, mis dedos lograron agarrar la almohada.

Creo que grité algunas maldiciones porque Harry se rió entre dientes y dijo algo sobre mí como 'eres una chica mala', el sonido vibrando contra mi piel.

Finalmente, me ofreció algo de alivio y se alejó, bajando mis piernas hacia la cama.

Estaba jadeando, mis ojos apretados.

Mi cuerpo se sentía en llamas, como si nada de lo que había hecho hasta ahora lo hubiera satisfecho por completo, y sin embargo me sentía exhausta.

Su boca cubrió la mía.

Logré encontrar la fuerza suficiente para devolverle el beso, saboreando y oliendo mi propio almizcle dulce en sus labios.

CAPÍTULO IV

Debo haberme quedado dormida, porque mi siguiente pensamiento fue preguntarme por qué estaba acostada boca abajo, sobre mi estómago.

Mis muñecas todavía estaban atadas a la cabecera de la cama, sobre mi cabeza.

Todavía tenía los ojos vendados y todavía estaba desnuda, pero me había dado la vuelta.

Suspiré, sintiendo mis senos presionarse contra la sábana tibia, mi rostro acurrucado en una almohada que yacía entre mi cabeza y mis brazos.

Podía alcanzar los listones de madera en la cabecera ahora.

Los agarré ligeramente, oliendo mi sudor y perfume en la almohada.

Estaba a punto de llamar a Harry cuando sentí líquido tibio en mis omóplatos, y luego la sensación de manos extendiendo el líquido sobre mi piel.

Olía a lavanda.

"Bienvenida de nuevo, Deb. Te tomaste una pequeña siesta". Se inclinó y besó mi mejilla. "Aproveché la situación y te recoloqué. ¿Te sientes bien? ¿Te duelen los brazos?"

Sonreí y murmuré:

"No, estoy bien".

"Bueno."

Me besó de nuevo y luego comenzó a masajearme la espalda y los hombros.

Sus dedos se deslizaron por la piel debido al aceite.

Sus manos presionaban suavemente y tiraban de mis músculos, atrayendo gemidos y suspiros desde lo más profundo de mí.

Me habían dado varios masajes antes, pero ninguno había sido tan sensual.

Me excitó más de lo que realmente aliviaba cualquier tensión acumulada.

Sus dedos se movieron hacia la base de mi cabeza, masajeando mi cuero cabelludo y detrás de mis orejas.

Respiré lentamente, recordando dónde más me habían masajeado esos dedos.

Cuando terminó con mi cuello, levantó sus brazos hacia mis manos.

Nuestros dedos se entrelazaron, manchados de aceite.

Apretó mis manos y volvió a bajar a mi espalda y costados.

Me estremecí cuando sus dedos rozaron mis senos, frotando el aceite alrededor de mi pecho donde sus dedos podían alcanzar.

Estaba gimiendo ahora, sintiendo el peso de su cuerpo entre mis piernas, presionando contra mi trasero.

Me estremecí cuando sentí su bulto endurecerse, pero él retrocedió, trabajando en mis piernas ahora.

Gimoteé, enterrando mi cara en la almohada para amortiguar el sonido.

Terminó con mis pies y lentamente deslizó sus manos por la parte posterior de mis piernas, sobre mi trasero, presionando a lo largo de la parte posterior de mi cintura, caderas y por mis costados.

Sus dedos rozaron los lados de mis senos nuevamente, y luego se tumbó sobre mí, su boca contra mi cuello.

Me apartó el pelo y me mordisqueó el lóbulo de la oreja derecha, haciéndome gemir.

Suspiré y moví mi trasero contra él, sintiendo su dureza latir a cambio.

No quería rogar, y había acordado no decir nada, pero estaba caliente y molesta a pesar del masaje.

Necesitaba más.

"¿Harry?" Gimoteé y me arqueé de nuevo.

"¿Sí, Debbie?"

Sonaba divertido.

Como si estuviera esperando esto.

Se presionó contra mí.

Gruñí.

"¿Por favor?"

Me lamió el cuello.

"¿Por favor qué?"

"Por favor..."

"¿Hmm?" Se puso de pie, escuché el susurro de la ropa, y luego se sentó a mi lado, su muslo desnudo contra mi hombro.

Su mano acarició mi espalda baja, acariciando mi trasero.

"¿Qué quieres, Deb?"

No pude respirar por un momento, sabiendo que su polla estaba allí.

Gimoteé y luego me mordí el labio inferior.

"Déjame verte."

Me quitó la venda y tuve que parpadear varias veces para adaptarme a la luz.

Observé su hombro desnudo y un tatuaje de alambre de púas que rodeaba su bíceps izquierdo.

Mis ojos se movieron hacia abajo, y sentí algo profundo dentro de mí retorcerse de deseo cuando vi su polla, dura y gruesa sobre su muslo.

Me señalaba directamente, la cabeza roja y brillante.

Contuve el aliento y volví la cara hacia la almohada, agarrando los listones de la cabecera de nuevo.

"¿Eso es todo?" Su mano se movió más abajo, acariciando el interior de mis muslos.

Me retorcí, gimiendo.

"No."

"¿Qué más quieres, Deb?" Su voz era más suave, más ronca.

Me obligué a tragar y cerré los ojos.

"Tú. Te quiero a ti. Por favor".

"¿Así?" Sus dedos se deslizaron entre mi humedad, frotándose contra mi clítoris.

Jadeé, mis ojos se abrieron de golpe.

De alguna manera, logré encontrar mi voz nuevamente.

"Quiero más."

Él me acarició lentamente.

Sus dedos se hundieron dentro de mí.

"¿Así?"

"Quiero más."

Luché por poner las rodillas debajo de mí, abrir más las piernas y sentirlo más profundo.

"¿Qué tal esto?" Su voz era un susurro caliente en mi oído.

Gimoteé cuando lo sentí presionar su polla contra mí, acariciándola de un lado a otro entre mis labios exteriores.

"¡Oh, por favor, sí!"

"¿Qué quieres que haga después, Deb?"

Mi lengua se congeló.

Solo pensaba cosas sucias en mi cabeza.

Nunca me había imaginado diciendo tales palabras en voz alta.

Hasta ahora.

Pero no podía decirlas.

Simplemente no podía ...

Se inclinó sobre mi espalda, su polla descansando entre mis nalgas, y me susurró al oído:

"¿Quieres que te folle, Debbie? ¿Quieres que lo haga realmente lento? "

Me ahogué y luego asentí con tanta furia que me dolió el cuello por el esfuerzo.

Se rió entre dientes, se sentó de nuevo y agarró mi cadera izquierda con su mano fuerte.

Lo sentí mover su polla hasta que descansó entre mis labios exteriores.

La presión aumentó.

Todo mi cuerpo se tensó.

Había jugado con juguetes muchas veces, así que estaba acostumbrada al tamaño de su polla.

Pero solo había imaginado cómo sería sentirla real dentro de mí.

A pesar de estar excitada y dilatada, todavía me preocupaba el dolor.

Él empujó mis rodillas con las suyas, y éstas se deslizaron aún más en las sábanas.

Presionó de nuevo, y esta vez entró.

Me atraganté de nuevo, enterrando mi cara en la almohada, fingiendo que eran sus dedos en lugar de su polla para poder relajarme.

Y tal como lo prometió, muy lentamente, centímetro a centímetro, entró en mi coño caliente y húmedo.

No podía creer la sensación.

No hubo dolor.

En cambio, había un calor fuerte y palpitante.

Y placer.

Oh ¡que placer!

Pensé que nunca se detendría, y luego lo hizo, y los dos nos quedamos muy quietos.

"¿Estás bien, Deb?"

Una mano todavía sostenía mi cadera

La otra acariciaba la parte baja de mi espalda.

Me las arreglé para decir "Sí".

Solo podía imaginar nuestra escena erótica: yo a cuatro patas, mis muñecas atadas a la cama, mi trasero levantado hacia él.

Él arrodillado detrás de mí, su polla enterrada profundamente dentro de mí, sus manos en mis caderas.

Los temblores me recorrieron.

Nunca me había imaginado sumisa ... hasta esta noche.

Él comenzó a retroceder.

Se abrió paso lentamente, un poco afuera, nuevamente adentro; salió un poco más, todo el camino de regreso, hasta que se deslizó para que solo la cabeza de su miembro permaneciera adentro.

Era una experiencia impresionante, y solo pude soltar pequeños jadeos de placer mientras se movía.

Sus dos manos agarraron mis caderas ahora, y lentamente me folló dentro y fuera, balanceando mi cuerpo hacia adelante y hacia atrás contra él.

Se puso a ritmo, y me encontré moviéndome igual por mi propia voluntad.

Cuando él presionó hasta el fondo, haciendo una pausa para dar un empujón extra profundo, enterrando sus bolas contra mi trasero, gemí más fuerte.

Perdí la noción del tiempo, solo disfrutando de las sensaciones:

Sus manos sobre mi cuerpo.

Su polla dentro de mí.

El sonido sordo de él deslizándose en mi coño.

Mi corazón latía en mi cabeza.

Nuestra respiración pesada.

No sé si dijo algo, pero estaba tan concentrada en la creciente presión dentro de mí que no creo que lo hubiera escuchado si lo hubiera hecho.

No había aumentado su velocidad en todo momento.

Así se intensificó toda la experiencia, ganó el placer.

Se movió ligeramente, posiblemente para aliviar la presión sobre sus rodillas.

No importaba por qué lo hizo, pero también se movió adentro y grité, dándome cuenta de que había golpeado mi punto G.

Hizo una pausa en su retirada.

"¿Debbie? ¿Te lastimé? ¿Estás bien?"

"¡Ahí!" Fue todo lo que pude decir, me quedé sin aliento en la garganta, instándolo en silencio a continuar.

Agarré los listones de la cabecera y traté de empujar contra él, pero sus manos me detuvieron.

Empujó hacia adelante, y grité cuando lo golpeó de nuevo.

"¡Ahí!"

"Ah. Lo tengo, Deb. Lo tengo".

Y él lo hizo.

Una y otra vez, se deslizó profundamente en ese lugar perfecto.

El borde se acercaba cada vez más.

Y luego me volqué, gritando todo el camino.

Me desplomé contra la cama, pero él continuó acariciando, susurrando palabras de aliento.

Apenas entendía lo que decía, pero su voz profunda era reconfortante.

Sentí sus manos apretarme más fuerte.

Sus caderas se estrellaron contra mi trasero, una corriente caliente me entró en lo más profundo, lloré con él, y luego nos quedamos quietos.

Sorprendentemente, comenzó a acariciarme nuevamente, tan lento como antes, y conseguí otro orgasmo.

Mientras me sacudía debajo de él, Harry extendió la mano por encima de mí y desató mis muñecas.

Me caí de lado.

Me empujó hacia atrás contra su pecho, todavía dentro de mí.

Se me saltaron las lágrimas cuando una de sus manos cubrió mi pecho y me acarició.

Su otra mano cayó para ahuecar mi montículo, sus dedos se deslizaron entre mis muslos para frotar mi clítoris.

Y me vine por quinta vez.

En algún momento, aparté sus manos.

Sentí su polla salirse de mí y recostarse contra mi pierna.

Esparció besos a lo largo de mi omóplato y me sostuvo en la posición de cuchara contra él.

Cuando regresé a la realidad y recuperé el aliento, me di la vuelta para mirarlo.

Sus brazos me envolvieron y me acercaron.

"No usamos el jacuzzi", murmuré contra su hombro.

"¿Qué, no hay suficiente placer para una noche?" Él se rió entre dientes y presionó sus labios contra mi frente, cepillando mi cabello detrás de mi oreja. "La salida de la habitación no es hasta el mediodía de mañana. Así que tenemos tiempo de sobra".

Incliné mi cabeza hacia atrás para poder mirarlo a los ojos oscuros.

Parecían pesados, tan somnolientos como los míos.

Me las arreglé para ocultar mi bostezo con una sonrisa.

"Bien, porque me falta mi venganza y soy una perra".

FIN

ROOMIES
(TABÚ ERÓTICO)
ERIKA SANDERS

"Oye, ¿estás tan ocupada como yo?"

Julia Carraux levantó la vista y sonrió a la cabeza morena despeinada que asomaba por la puerta. "Si me preguntas si tengo una cita esta noche, entonces la respuesta es 'No'. Solo soy yo y mis libros de matemáticas. ¿Y tú?"

Andrea Martin sacudió la cabeza con pesar cuando entró en la habitación y se dejó caer en la cama que pertenecía a la compañera de cuarto de Julia. Más alta que el metro setenta y cinco por casi cuatro pulgadas de Julia, Andrea era esbelta y de piernas largas, la forma perfecta para una corredora. Su cabello castaño claro era más largo de lo que uno esperaría de un atleta, cayendo en rizos alrededor de sus hombros, pero así era como le gustaba.

Por su parte, Andrea estudió a la chica sentada en el escritorio, su silla inclinada hacia atrás y sus pies cruzados sobre la parte superior del escritorio. Julia tenía el cabello corto y negro, era delgada y tan linda como el botón proverbial. Algunos podrían considerar que su nariz era demasiado afilada y un poco demasiado larga. Andrea sonrió. Su propia nariz era su punto doloroso. Siempre pensó que era lo suficientemente grande como para usar un pañuelo como paraguas.

Las dos se habían conocido en la Unión de Estudiantes el primer día de registro de otoño. Probablemente fue la sensación de ser extraños lo que los unió a las dos, una canadiense y otra del sur de los EE. UU., ambas sintiéndose bastante fuera de lugar en la escuela lejos de casa a la que ambas asistieron con una beca. Independientemente de la razón, se convirtieron en amigas y confidentes. Tuvieron citas dobles juntas y pasaron el rato. Descubrieron que eran excelentes compañeras de juego de cartas tanto en Spades como en Bridge, cuyos juegos parecían no tener fin en la Unión de Estudiantes. de hecho, complementarían sus asignaciones jugando Picas por un centavo el punto durante todo el año.

Los años sesenta o no; con Free Love y las manifestaciones y todo lo demás, todavía acechaba una estructura social bastante estricta para las estudiantes. Ambas chicas procedían de entornos de clase trabajadora.

Julia tenía fama de "Cerebro", pero su habilidad gimnástica le había ganado un lugar en el equipo de porristas del segundo equipo. Andrea era una atleta, pero se especializó en artes teatrales y el departamento de teatro tenía la reputación de ser un refugio para algunas de las personas más extrañas del campus. Ninguna se había apresurado a formar parte de una hermandad de mujeres, pero ambas tenían amistades en algunas de las más prestigiosas. En resumen, eran más o menos una clase por sí mismos, y les gustaba que fuera así. Podían ir a donde quisieran y hacer lo que se les antojara cuando llegaran allí sin preocuparse por lo que los demás pudieran decir.

Andrea se incorporó y miró a su amiga. "Oh, al diablo con eso, Julia. Deja tus libros y vámonos".

"¿Ir a dónde?" Preguntó Julia, incluso mientras cerraba sus libros, se levantaba y se estiraba.

"Así que no tenemos citas y no nos sentimos como una gran fiesta ruidosa. Cojamos mi coche, tomemos una botella de vino y aparquemos en la loma. Podemos escuchar los sonidos de la jodienda y hacer chismes sobre todos los que vemos allá arriba".

Julia se rió alegremente. "Estás loca."

Era una hermosa tarde de verano indiano, perfecta para los atuendos casi iguales que llevaban las dos chicas. Ambas vestían camisetas holgadas, shorts y sandalias de cuero. Julia vestía jeans cortados y Andrea un par de sus pantalones cortos para correr.

Caminaron hasta el estacionamiento de estudiantes y se subieron al Dodge algo abollado de Andrea. Condujeron hasta la ciudad, deteniéndose en una tienda en la plaza del pueblo donde compraron una botella fría de vino de fresa. Desde allí continuaron hasta la loma que dominaba el colegio. Ya había varios autos estacionados en varios lugares alrededor de la gran área abierta. Algunos fueron arrastrados hacia pequeñas cavidades en el follaje circundante.

"Esos autos estarán balanceándose para cuando oscurezca", observó Julia mientras Andrea se detenía y retrocedía hasta un lugar que les permitía tener una buena vista del área.

"Y algunos antes de eso", señaló Andrea mientras indicaba una camioneta azul que ya mostraba signos de actividad en el interior.

Julia rió junto con su amiga y abrió la botella de vino. Se la pasaron de un lado a otro, sin molestarse con las tazas. Charlaron y hablaron sobre sus días separadas. La noche se convirtió en el crepúsculo y luego una oscuridad iluminada por la luna los cubrió mientras observaban los autos que iban y venían y comentaban a quién veían. A veces los visitantes se quedaban por un tiempo, a veces se iban en solo unos minutos.

"Ahí va Todd Danielstan", señaló Andrea. "Eso no tomó mucho tiempo".

"Escuché que él tampoco lo es", respondió Julia.

Un grupo había encendido un fuego en el antiguo horno que a menudo servía como lugar de reunión. Fragmentos de canciones llegaron a las dos chicas.

"¿Quieres ir allí?" preguntó Julia.

Andrea estaba cómodamente desplomada en el asiento del banco del auto. "No, estoy bien aquí". Levantó la botella de vino, ahora más que medio vacía. "¿Crees que deberíamos haber comprado otro de estos?" Tomó un gran trago y volvió a mirarlo.

"No, a menos que vayamos a caminar de regreso al campus, o tomar un paseo con alguien más borracho que nosotros. Además, no quiero arrastrarme a nuestras habitaciones".

"Hablando de habitaciones", Andrea se sentó y miró a su amiga. "Cinthia está dejando de la escuela".

"¿Qué? ¿Cuándo? ¿Por qué?" Julia estaba sorprendida. La tranquila compañera de cuarto de Andrea era una buena estudiante y una buena persona.

"La próxima semana. Y no", Andrea levantó la mano. "Ella no está embarazada ni nada por el estilo. Son problemas familiares y no puedo hablar de algo que me dijo en confianza, ni siquiera a ti".

"Bueno, por supuesto que no". Julia dejó que la noticia se asimilara y luego se incorporó emocionada. "Eso significa..."

"Puedes apostar que sí. Puedes mudarte de inmediato. A la universidad no le importará y sé que Daphne y tú no se llevan bien. Probablemente ella te ayudará a mudarte".

"Guau." A Julia le había encantado la habitación de Andrea desde la primera vez que la visitó. Ubicada en un dormitorio antiguo, la habitación de la esquina era espaciosa y tenía su propio baño. En el segundo piso, daba al campus y estaba a la sombra de un enorme roble.

"¿Bien?" Andrea levantó una ceja.

"¡Es un trato!" Julia se inclinó y abrazó a su amiga y posible compañera de cuarto.

"Eso se sintió bien, no pares", se rió Andrea. "Esta más fresco de lo que esperaba". Ella se estremeció un poco. "Al menos en el sur esperamos que se mantenga cálido durante unas horas después del anochecer".

Asintiendo con la cabeza en acuerdo, Julia se movió en su asiento. Casi inconscientemente, las dos chicas acortaron la distancia entre ellas, retorciéndose a lo largo del asiento de tela hasta que sus costados se tocaron. Cuando sus piernas desnudas se tocaron, Andrea se rió y colocó su pierna sobre la de Julia, quien respondió hasta que las dos no solo entrelazaron sus piernas, sino que se acurrucaron en los brazos de la otra.

"Así está mejor", comentó Andrea.

"Sí, de hecho", estuvo de acuerdo Julia, quien inclinó la botella de vino y tomó un largo trago. Frunciendo el ceño, continuó. "Está casi vacío, Andrea. Tú lo terminas". Sostuvo la botella en los labios de su amiga y dijo "¡Arriba el fondo!"

A estas alturas, las dos chicas tenían un caso severo de risitas. Los comentarios breves parecían ser las bromas más divertidas jamás imaginadas. Estaban agarrándose la una a la otra en un intento de evitar resbalar del asiento al suelo. Luego, Andrea abrió la cabeza para hacer otro comentario aparentemente brillante a Julia y descubrió que sus rostros estaban a solo centímetros de distancia.

El tiempo pareció detenerse cuando las dos amigas se miraron a los ojos. Allí se reflejaron las mismas emociones; confusión repentina, incertidumbre y un sentimiento creciente que parecía acercarlas aún más. Los brazos se apretaron y sus labios se tocaron.

Incluso treinta años después, ninguna pudo decir quién comenzó el beso. Pero una vez que comenzó, una vez que tuvo lugar el primer contacto de labios fríos con labios fríos, inmediatamente se volvió apasionado. Ambas chicas se apretaron la una contra la otra, con la boca abierta y la lengua explorando febrilmente. La mano de Andrea cayó sobre el pecho de Julia y sintió que el pezón ya duro se endurecía bajo sus dedos. Julia bajó la mano por la espalda de Andrea y las yemas de sus dedos se deslizaron por debajo de la cintura elástica de los pantalones cortos de la chica más alta y tocaron el bulto del trasero firme allí.

Andrea estaba prácticamente gateando encima de Julia cuando el golpe repentino de una puerta y un fuerte bramido los sobresaltaron. Se separaron como si fueran tirados por cables, solo para ceder de alivio cuando se dieron cuenta de que los sonidos provenían del automóvil de al lado.

"Esa es Jo Williams", susurró Andrea, como si tuviera miedo de llamar la atención de la gran mujerona hacia ellas. "Ella debe estar buscando a un estudiante de primer año".

"Bueno, dile que no hay nadie aquí", se rió Julia, su voz un poco inestable mientras intentaba ser indiferente.

Juntas observaron cómo la imponente mujer abría una puerta de auto tras otra, mirando adentro hasta que encontró una que parecía adaptarse a ella y se subió junto con su compañera Ashlie. La luz interior del auto objetivo mostró a dos jóvenes, sin duda estudiantes de primer año, sus rostros mostraban su dilema. Estaban a punto de echar un polvo, pero las dos mujeres que subieron tenían la reputación de dejar a sus semivoluntarios amantes apenas capaces de caminar.

Cuando las puertas se cerraron, Andrea y Julia se miraron. Esta vez, sus ojos se negaron a encontrarse. Hubo un silencio incómodo que pareció prolongarse durante horas antes de que Andrea finalmente lo rompiera.

"Supongo que deberíamos volver al campus".

"Supongo que sí."

El viaje de regreso fue tranquilo. Una u otra hacían un breve comentario pero luego la conversación se detenía. Después de que Andrea estacionó el auto, caminaron hasta que los caminos a sus diferentes dormitorios los separaron. Hubo despedidas murmuradas y nada más.

La semana siguiente, Julia se mudó a la habitación de Andrea como estaba planeado. La tensión entre ellas se alivió. Ninguna habló de lo que había ocurrido esa noche en el auto. Cada una se habría sorprendido al saber que la otra continuaba dándole vueltas a esos eventos una y otra vez en su mente, preguntándose qué podría haber pasado si no hubieran sido interrumpidas. Ninguna podía olvidar el toque de las manos de la otra, el sabor de los labios de la otra. Pero inseguras por primera vez en su amistad, observaron un acuerdo tácito de no hablar del tema.

Eventualmente se relajaron lo suficiente como para volver a sus viejas costumbres. Las citas, el estudio, las actividades escolares las ocuparon y mantuvieron su atención. Se confiaban completamente la una a la otra en todo. Todo menos esa noche.

Eso continuó hasta que el destino intervino otra noche. Julia había pasado por el taller de teatro de Andrea y terminó quedándose, intrigada por el escenario que estaban construyendo y cómo se hizo. Ninguna tenía libros, así que cuando la tormenta inesperada los sorprendió a la intemperie, nada se mojó excepto ellas. Estaban empapadas hasta el hueso.

Andrea irrumpió en su habitación, con Julia justo detrás. Ambas comenzaron a quitarse la ropa mojada en el momento en que la puerta se cerró detrás de ellas. Zapatos, jeans, camisas y ropa interior se fueron por la borda. Andrea se zambulló en el baño y salió con un puñado de toallas. Mientras trataba de envolverse con una, miró a Julia y vio a su amiga temblar. Olvidando su propia toalla, corrió hacia su compañera de cuarto y la envolvió en la toalla más grande y esponjosa del grupo y comenzó a frotarla.

Poco a poco, Julia dejó de temblar. Las manos de Andrea se desaceleraron, pero nunca se detuvieron. Julia volvió a temblar, pero esta vez no por la humedad. Julia se quedó inmóvil, con los ojos fijos en la imagen de la pared del fondo sin verla realmente. Su corazón casi se detuvo cuando la toalla cayó a sus pies. Las manos de Andrea apenas tocaron sus costados y sintió el aliento de la otra chica en la nuca. Durante un largo momento ninguna de las dos se movió. Ambas sabían que habían estado conduciendo a esto desde el día en que se conocieron. La noche en el coche las había animado, les había abierto el apetito, les había hecho saber a ambas que ese momento estaba por llegar. Permanecieron en el borde, saboreando la emoción creciente durante el mayor tiempo posible.

Luego, los dedos de Andrea se deslizaron alrededor de la cintura de Julia hasta que sus manos acariciaron lentamente la barriga firme y plana. Dos puntos duros tocaron la espalda de Julia, anunciando la llegada de los senos de la morena. Entonces pareció, que en una carrera repentina, el cuerpo de Andrea se amoldó al de Julia. Las manos se levantaron para ahuecar y acariciar los pequeños senos. Una lengua corrió desde el borde más alejado del hombro de Julia hacia arriba a lo largo de su cuello y luego hasta una oreja que esperaba.

"Oh, Dios, Julia", jadeó Andrea, su aliento caliente en los porches de la oreja de Julia. "No puedo creer lo mucho que te deseo".

Julia se recostó contra el cuerpo de su compañera de cuarto. Sus dedos se curvaron y siguieron las líneas de las caderas de Andrea y bajaron hasta las piernas largas y musculosas en las que había estado pensando durante semanas. Frotó su trasero sobre Andrea, moliendo suavemente su trasero en pequeños círculos contra la humedad que ya sentía filtrándose entre las piernas de su compañera de cuarto.

Volvió la cabeza y la levantó, tratando de capturar la boca de Andrea con la suya. Sus labios se rozaron y los dedos de Andrea comenzaron a juguetear con sus pezones con pequeños pellizcos y rollos.

Julia gimió a cambio: "¡No puedo creer cuánto tiempo nos ha llevado llegar aquí!". Se retorció en los brazos de la otra chica hasta que estuvo frente a su amiga más alta. "Y no voy a esperar más por ti". Cerró los brazos alrededor del cuello de Andrea y la besó.

El beso fue una cosa de fuego, tan salvaje y apasionado como cualquiera de ellos. Ninguna de las chicas era sutil en su excitación. Las manos apretaban los glúteos, los dedos amasaban las piernas, los senos se aplastaban. Julia se esforzó por mantener su bloqueo sobre la chica más alta. Se estiró sobre los dedos de los pies. De repente, en un movimiento salvaje, su cuerpo entrenado como animadora se agitó y envolvió sus piernas alrededor de la cintura de Andrea.

La atleta de cabello castaño se tambaleó, pero mantuvo su agarre en el cuerpo de Julia y continuó besándola frenéticamente. Retrocedió los pocos pasos necesarios para llegar a la cama más cercana. Girándose, cayó hacia adelante, atrapando a su amante más pequeño debajo de ella mientras caían sobre la cama prolijamente hecha, esparciendo las sábanas mientras las dos chicas rodaban de un lado a otro.

Andrea casi sofocó a Julia debajo de ella en su emoción. Las manos de Julia mantuvieron la boca de Andrea pegada a la de ella mientras sus lenguas bailaban salvajemente juntas. Andrea puso las rodillas debajo de ella, incluso cuando Julia se negaba a soltar el torso de su compañera de cuarto. Abierta de par en par, Julia casi gritó en la boca de Andrea cuando la otra chica de repente golpeó sus caderas hacia adelante, conduciendo su coño marrón hacia el arbusto negro debajo de ella.

El beso se rompió cuando Julia se las arregló desesperadamente para ahogar su grito de alegría mientras su compañera de cuarto continuaba agitándose hacia arriba y hacia abajo contra ella, la chica follándola. Los ojos de Andrea se cerraron mientras levantaba la cabeza, la sonrisa en su rostro se torció por los esfuerzos de apretarse contra su amiga. Había suficiente espacio entre sus cuerpos para que los senos de Andrea se balancearan adelante y atrás contra los de Julia. Los duros pezones rasparon de un lado a otro. El trasero de Julia se levantó en el aire, su cuerpo casi rodó sobre sí mismo mientras Andrea usaba su propio cuerpo para golpear más y más fuerte, aplastando sus dos coños hasta que cada uno sintió la humedad del otro fluir entre ellos.

"Oh, joder, joder, joder", gritó Andrea.

"Oh, mierda, de hecho, sí, Andrea, fóllame", chilló Julia mientras su compañera de cuarto se apretaba más y más contra ella. Inexpertos como eran en hacer el amor con otra mujer, conocían sus propios cuerpos y lo que les agradaba. Andrea levantó las manos y las extendió para apoyarse en la cabecera. Julia aprovechó la oportunidad del movimiento de Andrea para levantar la cabeza y cerrar la boca sobre el pecho de la otra chica.

Los ojos de Andrea estaban abiertos y miraban fijamente a la pared sobre la cabecera. La cama entera temblaba y chirriaba mientras sus propios esfuerzos, con la ayuda y la complicidad de Julia, la empujaban más y más cerca del borde. Un sonido aplastante llegó a sus oídos y se dio cuenta de que provenía de las dos alumnas empapadas de coños mojados que se frotaban de un lado a otro. Julia estaba chupando su pecho como si estuviera tratando de tragarse todo el orbe.

Los tacones de Julia comenzaron a tamborilear sobre la espalda de Andrea cuando la ágil muchacha canadiense se incorporó. Junto con el apretón que le dieron las piernas firmes de la animadora, fue suficiente para que Andrea cayera por el borde. Levantó la cabeza y le dio varios golpes más contundentes con las caderas antes de inundar a su compañera de cuarto con sus jugos y colapsar. Julia hizo lo mismo, desplomándose en la cama y soltando a Andrea.

Las dos chicas se retorcieron hasta que estuvieron acomodadas en los brazos de la otra. Como Andrea era más alta, parecía correcto que Julia apoyara su cabeza en el hombro de su amiga. Los brazos se deslizaron uno alrededor del otro y suspiros de satisfacción llenaron la habitación.

Durante mucho tiempo, ninguna niña se movió ni habló. Entonces Julia giró la cabeza para mirar a Andrea.

"Eso fue increíble."

Andrea apartó el cabello oscuro de la cara de su amiga y sonrió. "Lo fue, ¿no?"

"¿Crees, crees que esto significa que somos lesbianas?" preguntó Julia. Ella sonaba un poco vacilante pero no terriblemente molesta.

"No lo creo", respondió Andrea pensativa. "Todavía planeo mi cita con Robbie mañana por la noche y si las cosas van bien, todavía planeo terminar en la cama con él". Besó la frente de Julia. "Creo que acabamos de agregar algo nuevo a lo que ya tenemos".

"Eso fue algo que pensé", admitió Julia. Ella sonrió y los ojos de Andrea se abrieron como platos cuando la animadora deslizó su mano entre ellos, sus dedos rozaron los rizos húmedos del corredor. "Sin embargo, también tengo planes que te incluirán a ti, a mí y a esta cama de manera bastante regular. ¿Y quién sabe a quién más en este dormitorio podríamos agregar?"

Andrea sonrió, su propia mano se movió por la espalda de Julia para tocar el trasero firme. "Todavía no lo sé. Pero estoy segura de que lo averiguaremos".

FIN

www.ingramcontent.com/pod-product-compliance
Lightning Source LLC
LaVergne TN
LVHW091235150826
845673LV00003B/1139

* 9 7 9 8 2 2 7 8 2 2 3 3 8 *